KB103976

그냥 너만 없다.

더는 갈 하루가 없다.

문영순 시집

더는 갈 하루가 없다.

발　행 | 2024년 08월 11일
저　자 | 문영순
펴낸이 | 한건희
펴낸곳 | 주식회사 부크크
출판사등록 | 2014.07.15.(제2014-16호)
주　소 | 서울특별시 금천구 가산디지털1로 119 SK트윈타워 A동 305호
전　화 | 1670-8316
이메일 | info@bookk.co.kr

ISBN | 979-11-410-9791-2

www.bookk.co.kr

더는 갈 하루가 없다.

문영순 시집

글을 시작하면서

땅에서 나서 피었다는 지는 꽃들과 같이 사람이 태어나서 한때 자기의 영광을 위해서 살다가는 꽃처럼 지는 날이 온다. 꽃들도 시들지 않고 싶었겠지, 사람도 그러고 싶은데 안 되는 것이 사람의 능력의 한계이다. 죽고 싶은 것이 사람의 본성이 어디 있겠는가. 그러나 어쩌랴, 우리가 다 그런 운명을 타고 났다는데 말이다. 사람이 한 번 죽는 것은 정해진 일이라고 하나님은 말씀하셨으니 그대로 되어지고 있을 뿐 우리가 어떻게 하랴. 그러나 지혜로운 판단의 자유를 허락하시고 영원히 사는 길이 있다시니, 우리가 그 길을 알아보아야 하지 않겠는가.

저자 문영순

목차

오늘 있다
내일은 없는 꽃
사람이 그렇다
꽃과 같이 그렇다
아니 그러하냐, 사람아

1. 내일은 없는 꽃

오늘 이런 사람이
내일 또 저런 사람이
꽃처럼 있다가 없어진 사람이 있다.

어제는 있었는데
오늘 보니 땅에 떨어졌다네.
꽃처럼 그 얼굴을 땅에 떨구고
결국은 일어나지 못했다지.

슬프지, 사람이 슬프지
꽃이여, 슬프지 그러지
너도, 나도 슬프지
한철을 다 지나지 않아서 기약 없이 갔으니.

오늘 있다
내일은 없는 꽃
사람이 그렇다
꽃과 같이 그렇다
아니 그러하냐, 사람아

2. 그 밤에 안녕을 못 하였네.

영원히 지지 않을 것처럼
붉게도 피더니만
한밤에 고개를 숙였네.

한밤에
그 칠흑의 밤에
홀로 앓다가 그 목이
호흡이 끊겨서 굽어 버렸네.

아침에 일어나서 그 꽃을 보니
이제는 못 쓰게 되어졌네.
저것이 어찌 고개를 다시 들 수 있을까 하네.

내가 잠든 그 밤에
그 꽃은 무슨 일을 당했던 것일까.
붉게도 붉게도 매일 조금씩 더
예쁘고 크게 활짝 해를 보고 피더니만

그 한밤을 못 넘기고는
이 아침에 보니
그 밤에 안녕을 못 하였네.

3. 그 사람만 없네.

옛날의 집은 아직도 거기에 있고
그 나무도 그 집에 있는데
그 사람만 없네.

그 밭도 그 집에 있고
그가 쓰던 밭 옆 화장실도 그 집에 있는데
그 사람과 그 사람이 키우던 닭만
그 집에 없네.

사람도 닭도 없는 집에
바람이 그 마당을 쓸며 지나가고
그 쓸어 간 그만큼 깨끗하여졌네.

옛날의 그 사람이 살던 집에
그 사람 기억은 있어도
그 사람이 없네.

눈에 선하게 그 모습들이 기억에는
여전히 살아서 돌아다니며
생생한 목소리로 말도 하는데
그 사람만 없네.

그가 키우던 닭과 개도 없네.

옛날의 집은 흔적이 있는데
아직 다는 부서지지 않고 있는데
그 사람과 닭과 개만 흔적도 없이 갔네.

4. 그 사람이 죽었다네.

사람이 죽었다네.
아프다가 그랬다네.

사람이 죽었다네.
아프지도 않았다는데 그랬다지.

늙어서 그랬다는데
늙지도 않았다는데 죽었다고

사람이 죽었다네.
그렇게 건강하더니
허망하게 맥없이 죽었다네.

죽었다는 말에
사람의 마음이 허망해져
산 사람의 마음이 허전하여
밥이 먹히질 않네.

세상에서는 볼 수 없는 사람이 되었다.
이제는 부를 수 없는 사람이 되었다고
마음이 허망하여

일이 손에 잡히질 않아서

같은 말을 되풀이하네.
사람들이 모여서 그 사람이 죽었다고
다시 말하고 또 말하며 그러고들 있네.

5. 의사는 알지.

의사는 알지.
나도 잘 모른다는 것을
살고 싶어서 온 사람 앞에
의사라고 앉아서 말을 하지만

의사는 알지.
자기도 죽는다는 것을

의사는 알지.
내 현실은 사람을 살릴 수 있는
능력이 내게 없다는 것을,
이것을 잊고서 교만하게 말을 하면
그의 앞에 와서 앉아 있는
살고 싶어서 온 그 사람은 더 상처가 되지.

의사가 모르면
누가 아냐고 하겠지만
의사는 죽을 사람이 아닌가.
의사라고 이름 붙인 자기 앞에 앉아서
살기를 바라는 그 사람만 죽을 것인가.

6. 바람이 불어 하늘로 갔다.

바람이 불어 하늘로 간다.
구름도 간다.

바람이 하늘에 가서
구름에게로 갔구나.
같이 불려져 가자고

사람은 나서
어디로 갈까.

땅으로 가서 캄캄하게 갇히고 싶지 않다.
저 사람과 같이
하늘로 가서 저 구름과 같이
주인에게로 불려져 가고 싶다.

바람이 불어 하늘로 갔다.
구름에게로 가서
그와 함께 불려져서
엷게 흩어지며 구름도 없어지고
바람도 거기에 보이지 않았다.

7. 밧줄에 묶인 배처럼

한 줌 재가 되어 갈 것을
아직은 재가 아니어서
항구에 정박한 배
밧줄에 묶인 배처럼

너덜너덜 깃발을 달고
애가 타서 출렁이지만
가지 못하네.

먼바다로도 가지 못하네.
뭍으로도 가지 못하네.
사이에 끼어서 뱃고동도 못 울리고

한 줌의 재가 되어 갈 것을
아직은 재가 아닌 사람이라서
오도 가도 못하고

해 아래서 그 많은 울음을 다 참고
너덜너덜 그 마음과 육신이
해어져서 쓰지 못할 때까지
서성거리며 맴돌고 있네.

8. 묘비명을 쓰란다.

언덕
고비
이 언덕만
넘으며 낫겠지.
넘으면 되겠지, 하고

갔더니
갔더니만
묘비명을 말하라더니
무덤을 파란다.
묘비명을 쓰란다.

언덕 넘어
고비 넘어서
낫겠지, 되겠지라 갔더니만

완전히 다른 땅
다른 나라
새로운 세계에 와서
언덕도 고비도 끝났지.

넘고 넘으며 왔더니
낫겠지 보다, 되겠지 보다
완숙됐다, 떨어지라 했지.

9. 지옥으로 간다고 그러느냐.

인생을 다 놓치고
날마다 왔던 80년의
새로운 기회, 그 아침을 다 놓치고

지옥을 가면
사람이 어떡하나.

쇠털같이 많은 날이라 했는데
그 쇠털 같은 날을
먹고사는 일만 염려하다가
땅에서 창고를 지어 채우는 일만 고심하다
이제는 얼추 다 된 것 같다, 했는데

그것을 마지막으로
지옥을 가면
사람이 어떡하나.

사람아, 그러지 마라.
어쩌자고 그러고 살다가
모든 시름을 다 잊는다는
눈물과 고통도 다시는 없다, 하는

천국을 못 들어가고서
지옥으로 간다고 그러느냐.

그 고통과 눈물을 어떻게 하겠다고
버티다가 그 길을 가려느냐.

10. 다 아는 것처럼 말하면

다 안다고 하는 데서
인간은 가장 깊은 감옥에 갇힌다.

사람이 다 안다고 말하려면
나를 알아야 하는데
누가 자신에 대해서 다 알고 있는가.

나를 모르면서
남을 판단하며 사는 게
사람의 앞에 놓인 현실인데,

사람이 나를 알려면
창조주 하나님을 알아야지 하는데
그것도 아니면서 세상의 질서를
다 아는 것처럼 말하면
인간은 가장 깊은 감옥에
빛이 없는 사형수의 방에 갇힌 것이다.

다 안다고 하는 교만한 마음에서
나는 모른다, 시인할 줄 모르고
전혀 알지 못하는 자신의 모습을 못 보며

아는 것처럼 살다가 갇힌 것도 모르는
그 캄캄한 방에 투옥된 채로 죽는다.

11. 병아리도 안 가는 곳으로 간다.

칭찬
인정
사랑
목마른 사람들이
세상이 꽃처럼 해 아래서
시들 부들 결핍을 말하지만

이 세상에는 그런 샘이 없다고
사람들은 그 샘을 소유한 부자가 없다며
나도 죽겠어
나도 죽겠어, 한다.

물 한 모금 입에 물고
높은 하늘을 쳐다보던
마당에서 놀던 노랑 병아리도 알고
하얀 병아리도 알고
새까만 병아리도 알더구먼
내가 어릴 때 보니까 알더구먼

사람은 이 죽을 만큼 갈한 영혼으로
타는 목마름으로도 땅만 보고

이 사람 저 사람만 쳐다보다가
하나님을 못 보고
병아리도 안 가는 곳으로 간다.

12. 죽고 보니 후회가 되네.

내가 아는 것도 없지만
모르는 것은 또 뭐가 있냐며
큰소리치며 살더니
저 죽는 것도 모르고
그랬다.

모르는 것 말고는 다 안다고
알 것은 그래도 다 안다
큰소리는 허구한 날 하더니만
그 모르는 것이
저 죽는 일이었던가 보다.

다 안다 했지만
꼭 알 것을 몰라
속이 타서 그렇게 고래고래 소리를 지르며
그랬던가 본데

그것도 모르고 하도 기가 막혀
말해 무엇 하나 싶어
입 다물고 다시는 되묻지 않았는데
죽고 보니 후회가 되네.

13. 날마다 너에게로 가고 있다고

마음에서 가장
인정하고 싶지 않은 것이
죽임이겠지, 그렇겠지.

그러나 죽음이 나를
태어나기 전에 잉태로부터
아니면 태초로부터 확실히
직인을 찍어 인정했으니,

마음에서 미움이 죽음을 향하여
화살을 쏘지만, 그 활의 당김이
과녁으로부터 빗나가고 있다.

죽음은 말하네.
나는 죄 때문에 너에게로 왔다고,

선악과 따먹으면
하나님의 법을 무시한 마음에
정녕 죽으리라는 명령을 따라
너에게로 와서 날마다 너에게로 가고 있다고.

14. 새도 죽은 나무에서는 노래하지 않는다.

초록은 짙어지고
새는 한 마리에서 여러 마리로 늘어나
나무는 풍성해지고 있다.

생명의 뿌리가 마르지 않아 잎을 내고
새도 죽은 나무에는 앉지 않는다.

초록은 짙어지고
나무는 새를 데리고
마치 자기가 소리를 내는 것같이
삐익 삐익 신선한 아침을 선물한다.

새도 죽은 나무에서는 노래하지 않아
나무도 홀로 죽어서 고독하다.
아무도 바라보지 않는 흉물이 되어

초록은 짙어지고
새는 그 산 나무에 있어
사람은 그 나무를 본다.

15. 다시 처지가 비천해진다.

땅에서 수고하고
이마에 땀을 흘려서 먹고살다가
아무것도 없이 흙이 되라지.

너는 흙이니 흙으로 돌아가라
아담에게 하나님이 말씀하여서
사람이 한 줌 흙이 되는데

땅에서 땅이 없다
흙이 흙으로 못 가고
항아리에 담기는 일
그래서 건물에 갇히는 일
죽어서도 집을 사고 집세를 갚아가야 한다니,

흙에서도 너를 위한 땅이 없다
한 줌 흙으로 돌아가라는 명령으로
한 줌 흙으로 결국을 맞았는데
다시 비천한 처지로 갇히는 자유라니,
참은 수고의 끝이 끝끝내
아픔이 땅에서는 사람이 그렇게 끝나네.

16. 삶은 꽃이고

삶은 꽃이고
꽃의 죽음은 열매인데
그 속에 씨앗이 없으면

삶은 영화로움이고
죽음은 삶의 영광
영화로움의 절정인데

꽃이 지는데 열매가 없으면
꽃이 졌는데 열매가
씨앗을 못 품고 비었으면

어떻게 다음 꽃을 기대할까.
죽음으로 영광이 끝나겠네.
부활이 없이 땅에서 한 번 피고는
하늘에서는 다시 필 수 없는 꽃이겠네.

17. 집을 사려다가

설거지를 하다
방바닥을 닦다
흙과 돌을 닦는 줄도 모르고

날마다 그러다
닦아도 흙과 돌가루가 나는 줄도 모르고
깨끗해져라 한다.

집을 사려다가
사람의 생각을 사려다가
집은 돌과 흙과 나무인 줄 모르고
그 생각도 죽은 것인 줄 모르고
내 가진 것을 다 주고 사려다가

결국은 흙이 되어
흙에
돌에
나무에게로
그 상자 안으로 들어간다.
사람이 이러려고 그랬던가, 한다.

18. 더는 갈 하루가 없구나.

한 수저 한 수저 먹어서
밥 한 그릇을 다 먹고

한 젓가락 한 젓가락 집어서
반찬 한 접시를 다 먹고

한 걸음 한 걸음 걸어서
여기로 저기로 갔다가 오고

그러다가 하루가 하루가 가서
이제는 다 왔구나,
여기서는 더는 갈 하루가 없구나,
그러는 것이 다인 듯

나머지 숨겨진 비밀의 길이
더 없으면 사람이 이게 무엇인가.
십자가의 예수 그리스도의 말이나
어디 들어나 보고 죽어야겠다.

19. 그냥 너만 없다.

여기는 내 땅이요.
울타리를 하고 집이 하나 있다.

가만히 넘겨다보니
이것도 짓고 저것도 짓고
이것도 심고 저것도 심고

내 땅에다
내가 이것도 저것도
마음대로 하다가
담장도 그냥 있는데
그냥 너만 없다.

진짜 네 땅이 아니었구나.
진짜 하나님의 땅이었구나.
그러니 못 가지고 너만 갔지.

20. 이래서 못 하겠다고 하다가

바람이 너무 많이 불어서
오늘은 못 하겠다고 하다가

지금은 비가 너무 많이 와서
못하겠고, 하다가

너무 더워 집에서
꼼짝도 못 하겠다, 하다가

눈이 많이 와서 길이 미끄러워
빙판에 넘어질까, 가만있다가

아무 짓도 못 하다가 1년이 가고
그렇게 1년이, 1년, 1년이 계속 가더니
아무것도 없이 있다가
자기 마음으로는 하늘로 간다, 하겠지만
어디로 가는지도 모르고 간다.

21. 낙엽같이 살다가

꽃처럼 나서
꽃같이 살다가
꽃같이 죽고 싶은데

사람이 그렇게만은 못 살고
살아 있는 꽃으로 죽지를 못하고

낙엽처럼 나서
낙엽같이 살다가
낙엽같이 죽고 있다.

바람 한 번 크게 지나가면
깨끗이 잊혀지는
다니던 길만 남는

22. 그 비밀의 열쇠

삶 속에 들어 있는 비밀은
죽음이고
죽음 속에 들어 있는 비밀은
삶이다.

삶 속에서는 죽음을 건져야 하고
죽음 속에서는 삶을 건져야 한다.

이 비밀의 열쇠를 찾으라고 보내셨는데
우리가 헛짓들만 하다가 빈손으로 가면은
보내신 자는 나를 향하여 무엇이라 말씀하실까.

그 비밀의 열쇠를 찾아서 오랬더니
헛짓만 하다가 왔다고
내게 그 돌아간 문 앞에서 무엇이라 말씀하실까.

23. 사람의 일도 그러하고

두 나무가 마주 보고 있어서
기대하고 해 줄 수가 있다.

둘 중의 하나가 베어지면
기대할 수 없고
해 줄 수가 없다.

한 날에
똑같은 시간에
함께 베어지는 일은 거의 드문 일이니,

사람의 삶도 그러하고
사람의 일도 그러하고
둘이 있어야 그럴 수 있는데
그럴 수 있는 날을 못 견뎌서
나는 그게 고통이라, 원망을 한다.

네가 있어 고통이라
네가 없어 고통이라
두 나무는 마주 보며 이러다가
이제는 다 살았다 한다.

24. 풀이 밟혀서 죽으면

풀을 밟아서 흙이 나오게
사람의 발이 지나가고 지나오듯
세상이 나를 풀처럼
땅에서 뿌리를 못 내리게 밟는다.

밤새 조금 회복하였더니
아침에 또 많은 발이 와서
밟고 밟고 갔다.
저녁에 또 밟고 밟고 가겠지.

풀을 없애고 길을 내듯이
세상은 나를 밟아서
금이 아니라 흙이라 똑똑히 가르치고

풀이 밟혀서 죽으면 흙이 나온다고
대단한 것 같지만 죽으면 흙이 된다
세상이 나를 밟아서 보게 하네.

25. 꽃의 죽음은 열매이다.

열매가 있기로 한
나무의 먼저 피는 꽃은
열매가 있을 것을 알려준다.

많은 꽃은 많은 열매를 말하고
내가 죽으면 거기에 열릴 것이라
말하는 예고편이다.

긴 열매를 위한 잠깐의 영광으로
꽃은 그렇게 와서 열매를 남기고
가기로 한 대로 간다.

꽃의 죽음은 열매로 부활이다.
예수 그리스도가 십자가에 죽어서
부활로 열매를 남긴 것처럼
과실수는 꽃의 영광은 잠깐이요,
열매의 씨로 영원히 영화롭게 된다.

26. 다 그러고 산다.

사람만 아프고, 슬프고, 죽는 게 아니라
목숨 있는 것들은 다 그런다지.

자연사하기도 하고
아파서 죽기도
천적에게 잡혀서 먹히고
사람에게 당하는 죽음도 있고
사람과 같이 다 그러고 산다.

사람만 아프고, 죽는 게 아니라
지구가 불가마 속에 던져져 제련되고 있다.
누가 순금같이 그 속에서 건져질 것인가.
다시 던져지지 않을 목숨으로 회복될 것인가.
그것만이 다를 뿐이지.

27. 꽃의 영광도 하나님의 영원 속으로

꽃이 피고
그 꽃이 지고
너도 피었다는 졌지.

나도 피고
너 간 그 길을 따라
한 잎씩 시들 거리며 간다.

꽃씨를 떨어뜨리고 간 꽃들
너도 그렇게 졌는데
나 홀로 씨를 못 남긴다니
이것이 창조의 질서에 옳은 일인가.

가고 있는 길에 바람이 분다.
꽃씨들이 떨어진 겨울 길가를 걸어서
빼빼 마른 지팡이처럼 죽은 듯이
숨소리도 없는 어디로

꽃이 피었었다지
저기 저 죽은 것들이었다지
너도 그랬다.

여기 나도 그러고 있는 중이고

한 잎씩 마르고 있는 나는
아직은 살아 있다, 하는
생명의 끝으로 달리는 고독 안에 갇히고
창조물로써 창조자의 심판을 기억하지.

꽃의 영광은 져서 그에게로 갔다.
처음의 곳으로 돌아간 것이지.
너도 그에게로 숨었듯이
내 생명의 영광도 잉태의 원점
하나님의 영원 속으로 가고 있다.

28. 얼마를 넣을까.

누구는 죽었다는데
조문객은 돈을 걱정한다.

슬픔이 아니라 죽었구나,
얼마를 봉투에 넣을까.

눈치가 보여서 가지 않을 수도 없고
형편상 적게 넣을 수도 없는
사람이 아무리 가난해도
사회적 기준에는 따라야 하니

내 현실 때문에
그의 죽음이 하나도 슬프지 않고
내게는 부담이 되어지는 일일 뿐이다.

많은 사람이 이런 죽음을 맞는다.
몇 사람만 빼고 다
얼마를 넣을까를 고민하는 죽음을

29. 불은 꺼졌는데

산에 불은 나고
하늘은 비가 안 오네.

불을 끄겠다고 일하러 가서
그 일이 먹고사는 일이라
며칠을 그 연기 속에 일하다가
헬기에서 떨어져 죽었는데

한평생 살던 집이 다 탔다고
사람의 마음이 절망을 하네.
젊은 아비가 죽은 아이들은 어찌하나
아직 꽃다운 그의 아내 그 절망을

불은 꺼졌는데
집은 다시 지으면 되는데
오지 않는 사람은 어디서 찾을까.

30. 원망한들

지옥도 천국도 지 마음에 있으니
지옥 갔다고 누구에게 원망하랴.

지 마음 따라 지가 갔지
누가 저더러 그리로 가랐기에
억지로 밀어 가서는 어쩌라고.

돌이키려면 죽기 전에 그럴 것이지
다 끝나고 와서는
지옥 백성 그 마음들끼리 모여서 원망한들
천국에는 안 들리니
그 원망이 또다시 자기에게 떨어질 뿐이지.

살아서는 지 말 따라 살겠다고
상관 말라, 너나 잘하라더니
왜 끝까지 붙잡지 않았냐고 원망한들
천국에 있는 그가 못 듣는다.

하나님은 니 십자가 니가 지고
거기서 살기로 살아서 그랬으니
네 기도가 이루어졌다고 말씀하신다.

31. 완전을 향하여 죽다.

완제품은 더 이상
무언가를 더하려고 추구하지를 않는 것.

사람이 날마다 그 마음에
무엇인가를 끝없이 추구하는 게 있음은
아직 완성품이 되지 않았음인 것.

완제품은 그 수명이 다하면
그대로 죽고서 없어지는데
사람이 죽기까지 바라는 것이 있음은
죽는 그 순간까지 완전해지지 않는다는 것.

죽음이 완성임을 알면
죽음을 폐품이라 하지 않을 수 있는데.

32. 목숨처럼

목숨 같은 돈도 안 드는
그 말 한마디를
돈보다 아끼다가
남도 죽고 자기도 죽고

돈보다 더 목숨 같은 것이
말이라고는 아는데
돈이 목숨이고
말은 돈도 안 드니 하면 된다면서
좋은 말은 다 숨겨 놓고
목숨처럼 아끼며 주지를 않지.

자식에게도 돈은 줘도
그 말 한마디
마음에 꼭꼭 감춰 둔 목숨 같은 말
안 줘서 죽네.

33. 나란히 납골당에

나는 되고
너는 안 된다고
교만을 떨며 그러더니

나란히 납골당에 왔네.
다 되는 것을
다 안 되는 것을

너도 되고 나도 되고
나도 안 되고, 너도 안 된다고
그런 지식이 그때 있었더라면

나란히 납골당에 왔어도
사이가 좋았을 텐데
하나는 십자가 항아리요,
하나는 자기 이름만 박혔네.

34. 내 속의 절규

목숨 하나 때문에
절규하지 않으며 사는 자가 없다.

내 속의 절규는
내 영혼이 목이 졸리는 것.

그러니 어찌 몸이
절규하는 예술을 하지 않을까.

숨이 죽는다고
원통함을 들어 달라는데
몸이 가만히 죽는다, 소리치는
영혼의 대변자로 나서지 않을까.

목숨 하나 때문에
모든 인간은 절규하며
자기 영혼이 처한 상황을 알린다.

35. 피할 수 없는 일

내가 태어나는 것도 피할 수 없었듯이
사는 것도 피할 수 없게 됐다.
어떤 일이 일어날지도 모르고
세상에 나왔듯이 살면서 당할 일도
모르고 엉겁결에 만나서 산다.

내가 태어나는 것을 피하지 못하고
사는 내내 아프게 만났던 일도 많다가
피할 수 없는 죽음을 또 만나야 된다.

죽음을 피할 수 없듯이
심판을 피할 사람이 없어서
누구나 다 하나님 앞에 서게 된다니
가장 두렵고 기대가 되는 마지막 못 피할 일이
다가오고 있으니, 마침내 당할 일은
천국이냐, 지옥이냐, 뿐이라는 것이네.

36. 소처럼 일했는데

소처럼 수고하여
몸이 죽어서 얻은 것이
겨우 몸만 조금 사는 것이라면
몸이 너무 슬프다.

결국은 죽을 몸이
조금 버티자고 죽을 고생을 했나, 하면
늙은 몸이 상처로 서럽고
겨우 목숨 건진 그 상황이
몸에게는 너무 슬픔이다.

소처럼 일했는데
영혼 불멸 없는 소처럼 죽는다면
그 영혼이 지금보다 더 고생스러운
수고만이 있는 배고픈 구덩이에 떨어진다면
겨우 몸만 조금 살자고
땅에서 수고한 몸이 너무나 통곡이다.

37. 너무하다.

밥 한 숟가락 먹겠다고
세상에 나와서는 그 고생을 다 하고
가는 인생의 뒷모습이 너무하다.

모든 대가를 다 치른 것 같았는데
인생은 그래도 아직 모자란 게 있어서
저렇게 꽁꽁 묶어 태워지는가.

세상의 바람이 살짝만 한 번
저 어디서 불어오면 한꺼번에
흔적 없이 날아갈 재 한 줌으로
그 고생의 마침표를 찍고 있으니,

사람이 저토록 허망하고
그런 것인 것을 살아서는
왜 그리도 모질고 독한 말로 그랬을까.
왜 죽었다고 눈물조차 흘리지 못하게
눈물샘을 막아 버렸을까.

38. 살아 볼까, 해서

어떻게 조금 살아 볼까,
돈 앞에 굽실거리고
손을 비벼서 안전해진 일이 있는가.

머리를 조아리고
목소리를 개미처럼 하며
네, 네, 네, 했다고
내가 누울 관이 1초라도
뒤로 물러나서 뚜껑을 열고 있을까.

살아 볼까, 살아 볼까, 했던 것들이
이제 보니 다 죽을 짓이었고
내 죽음은 움직이지 못할 것이었네.

하루 더 어떻게 그 목숨 더 살까.
속에 없는 말을 하고
사람 앞에 절하였더니
그 사람도 그 목숨 더 살까.
속에 없는 말로 했다는 것.
그도 그의 관을 못 물리는 죽을 자였음을 잊었었네.

39. 무서운 블랙홀

그는 있었다.
그녀도 있었다.
하나둘 내 눈에서 사라져
기억의 깊음 속으로 가고 있다.

갔다.
어딘지는 하나님과 그들만이 안다.
거기 미리 당도한 다른 이들도 알고 보는
간 사람만이 그곳을 아는 것이다.

그와 그녀는 안 본 사람들에겐
그들은 처음부터 없었다.
아무리 살았다고 발버둥을 쳤을지라도
소리소리 지르다가 갔을지라도
보지 않은 자에게 그들은 없는 자들이었을 뿐

내 기억에서도 그는 지워져 가고 있는 중이고
그녀도 그렇게 묻혀지고 있다.
흙이라는 것은 무서운 블랙홀인가.
한 번 감추면 절대 세상의 눈들에 안 보여지니 말이다.

그들은 안 본 사람들의 기억에는
그녀도 그도 없는 존재였다니
사람이 얼마나 허무한 먼지인가.
사랑의 바람을 타고 어둠 속에서
훅하고 나왔다가 다시 어둠 속으로
훅 들어가 버려 기억을 서서히 희미하게 한다.

그는 말하며 내 앞에 서 있었지.
그녀도 나와 웃기도 하였다.
갔다. 어느 날에 병원에서 못 돌아오고
거기 하얀 침대에 묶였다가
가라는 허락이 떨어진 날은 보이지 않는
다른 세상으로 풀려나 놓여진 날이었다.

40. 세월이 가고 온다는 것.

세월이 가고 온다는 것은
사람이 가고 온다는 것.

세월이 땅에 것들의 삶과
그리고 그 생명의 끝인 죽음 때문에
있어야 된다는 것.

세월이 가고 왔다는 것은
많은 사람이 그만큼 갔고
다시 새로운 사람이 왔다는 것이다.

세월은 그저 가고 오는 것이라고
쉽게 말할 수는 있겠지만
한 사람 한 사람에게는 아니지.
한 영혼 한 영혼에게는 더욱 아니고
영원한 죽음과 영원한 삶이 걸린 문제인 이유라

세월이 가고 온다는 것은
사람을 두고 하는 얘기
그들이 그 중간에서 죽고 산다는 것의 일.

41. 우리의 추격자 사망

우리가 쫓는 것은 삶이고
우리를 쫓는 것은 사망

그래서 내가 두려운 것은 죽음이요,
내게 안도의 숨을 쉬게 하는 것은 삶이다.

사는 것이 두렵고
그래서 불안해서 걱정이 된다지만
그 속에는 사망이 우리를 쫓아오고 있기 때문이다.

실상 우리가 두려운 것은 삶이 아니라
내 뒤를 쫓고 있는 끈질긴 죽음
내 목숨만이 목적인 죽음

우리가 쫓아가는 것은 사는 것인데
그래서 죽기 살기로 사는 것인데
그래서 또 목숨 하나 지키기가 힘들어
사는 것이 죽을 것 같다고 하면서

우리는 삶을 쫓고
사망은 우리를 쫓으며

이 경주는 내가 달려서 십자가 앞에 서면
거기에 사망이 매달려서 예수와 같이 죽으면
끝이 나고, 나는 더 이상 쫓기지 않는다 하시는데

42. 죽음을 등에 업고서

우리에게는 무언지 모르게 두려운 것.
내 안에 있는 마음이
그리고 더 말하면 영혼이
겁나게 무서워서 떨고 있는 것이 있다.

무엇인지 몰라서도 그러겠지만
알아도 해결할 수 없는
내게 벌어지고 가까워 오고 있는 처지 때문에
두려움이 물러가지 않는다.

우리는 두려운 것에 쫓겨서
먼저 마음이 넘어지고
그 위에 몸이 덮치며 쓰러진다.

우리에게는 그 두려움이
육체가 느끼기도 전부터
영혼이 아는 두려운 것에 눌려
불안은 나를 떠날 수가 없는 일로

우리의 영혼은 몸속에서
죽음을 피해 숨어 있지만

육체가 무너질 것을 알기에 드러나서 잡힐까 봐
어디로 이제 가야 하나, 해서
내가 두려워지는 것이다.

나를 찾는 괴수인 죽음에게
들킬까 봐 괴롭게 두려운 저 원수
사망이라는 이름의 죽음이 있다.

두려워서 열심히 사는데
그렇게 해서 따돌리고 도망치려는데
그 자리에도 항상 같이하는 것이
삶의 등에 얹힌 죽음.

죽음을 내 등에 업고 가면서
두려워해야 하는 악성 혹
내 힘으로 제거하려다가 더 퍼져서
영원히 죽게 되는 암종으로
십자가에서 죽었다는 저 예수를 믿으라는 말씀의 칼
그 하나님의 입에서 나오는 말씀을

꿀송이처럼 먹어서
네 배에서는 쓴 약이 되어야 혹이 떼어진다 하시니
말씀을 들었으면 발로 따라서 그 길을 가면
그 두려운 혹이 못 따라온다고

43. 너를 만날까 봐서

나는 죽어서도
무서운 너 만날까 봐
징그러운 너와 같이
같은 땅에서 공존할까 봐
하늘 높은 천국에나 가련다.

죽어서 다시 너를 만나면
내 인생은 또 어쩌나 두려워서
저 높은 곳 하나님이 너를 못 오게
불 칼 든 천사로 지키신다는 곳
그 땅에나 가서 살아 보련다.

나는 죽어서 너 가는 곳 안 가려고
너 밟는 땅 안 밟고 살려고
너 쉬었다 내뱉는 공기 안 마시고 살려고
나는 하늘에 앉아 있다는
예수 곁으로 가서 거기나 앉아서 살아 보련다.

혹시 생각이 너에게도 있어서
나 따라서 너도 온다면 거기서는 너도
그런 사람이 아닐 것이니, 괜찮을 테지만

거기는 천사들처럼 결혼이 없다니
다행이지, 다행이야, 그래서 나는 거기로 가련다.

44. 가슴이 덜컹하는 것은

살았다.
병들었다.
늙었다.
사고가 났다.

어느 것 하나 죽음과 연결되지 않은
단어들이 아니니
처음부터 끝까지 따라다니는
사망 때문에 사람의 괴로움이 된다.

가슴이 덜컹하는 것은
큰일 났다고 하는 것이다.
어둠이 사람을 덮고
바짝 귀에 대로 확성기를 댄 것이다.

어느 것 하나 죽음과 떨어져서
산 사람에게는 홀로 오지 않는다.
들으면
당하면
다 괴로움이게 한다.

45. 천국에서 만났으면

만나고 싶은 사람은
천국에서 만나자.
내 어찌 네가 지옥 갔다는
말을 들으랴.

여기서 좋은 사람
만나고 싶은 사람이라고
천국에 간다는 보장이 없으니
내가 너를 천국에서 못 볼까.
어쩌나, 한다.

네가 지옥에 있다는 말
내 귀에 들릴까 봐
나는 기도를 한다.
내가 할 수 있는 너를 위한 일
기도를

네 손 잡고
나 가는 곳
천국에 갔으면 좋겠는데
하나님이 허락한 일이 아니면

그 손 놓칠 것이기에
네 마음 돌이켜 천국에서 우리 만나기로 하자.

46. 죽음이 병원으로 도망간 이후

자연스러운 삶의 연장인
그 죽음이 병원으로 도망갔다.

나 죽기 싫어 싫어
나는 더 여기서 살 것이야.
절대 나는 그 누구도
못 데려가게 할 것이야.

호스를 꽂고 산소를 사서 마셔서라도
심장을 억지로 뛰게 해서라도
나는 살 것이야.

그러고서 병원으로 도망간 이후
그때부터 죽음은 더 고통스러워졌다.

죽은 것도 아니요,
그렇다고 살았다고 말하기도 어려운
그 지경으로까지 끌려간 생명
지독한 고통과 절망 속으로
온 가족까지 몰아넣으며 숨만 쉬고 있게 됐다.

죽음이 병원으로 도망간 이후
생명은 가혹한 고통 중에
스스로를 더 비참토록 허락하고 있다.

47. 사는 것이 일이라더니

우리의 일은
날마다 사는 것이 일이라고
어떻게 살 것인가가 일이라고
우리는 그 말을 하면서 평생을 살아도

그 일을 다 모르고
다 못 하고서
그 일이 끝났으니 오라는 부름에
어쩔 수 없이 놓고서 간다.

사는 것이 일이라기에
사는 일만 신경 쓰다가
준비도 없이 부름에 쫓겨나듯 가면
사는 일에 대해서
어떻게 살았느냐에 대해서
답을 써야 하는 시험지가 기다리고 있다.

사는 것이 일이라며
그 사는 일에만 매달렸던 평생을
한 줄도 써내지 못해서
모른다고 그래서

시험을 통과 못 한
낙오자들이 가는 곳으로 보내어진다.
거기는 낙원이 아니다는데

48. 죽어서 하나님께로 돌아온 자

더워서 죽겠다고
요란 떨던 사람도 가고
그 여름도 가버렸다.

꽃이 잘났다고
시샘하며 그 잘남을 자랑하던
그 영광도 눈 뜨고 나니
그 아침에 급발작으로 급사한 것처럼
사람들이 다 하룻밤에
안녕을 못 한 자는 다 갔다.

사람들은 말하지.
그가 꽃처럼 그 밤에 죽어서
아침에 눈 떠 보니 죽어 있더라네, 하고

그러나 그는 죽은 것이 아니라
잔다, 라고 말을 하늘로부터 받았다면
다시 일어날 아침이 있다는 약속이니
사람의 세상으로부터 죽었다고 옮겨진 그날이
더욱 산 날이 된 것이다.

사람의 눈에는 죽어서
하나님의 눈에로 살아서 나온
잠자는, 깨어날 자로 삶의 방향을
정반대로 돌린 인생이다.

49. 여기서 내리시오.

머리를 몇 번 자르면 다 살까.

목욕을 몇 번 더 하면 다 살까.

세수를 몇 번 하면은 다 살까.

자라난 머리를 자르다가
더러워진 때를 밀다가
화장을 몇 번 하고 지우다가
손발톱을 몇 번 또깍 또깍 깎다 보면
세월이 다 간다.

여기서 내리시오.
당신의 목적지는 여기라고
그 역에 떨구어 놓으며
달리는 기차가 가버리는 것.

여기 오려고
내가 그랬나.
그때서야 후회가 되는 것.

50. 알아야 한다기에

우리는 너무 많은 것을
알아야 한다기에
그런 줄 알고
나는 그보다 더 많은 것을 알아야
더 잘 되는 줄로 알고
그랬더니.

그러다가
제대로 아는 것도 없이
꼭 알아야 할 한 가지를 몰라서
영원히 죽음이라고 도장이 찍히는
뼈아픈 수모를 겪게 될 일이
생길 것이라네.

너무 많은 것을 알아야 한다기에
그것을 어떻게든 알려고 하다가
반드시 알아야 할 그것에는
등을 돌리고 멸시했다가
몰라도 된다고 하는 그 한 가지 때문에
영원히 낭떠러지로 떨어져 죽는
내 영혼의 비극을 겪어야 된다네.

51. 감처럼 떨어질 것을

보기 싫은 사람이나
보기 좋은 사람이나
언제 있었느냐는 듯이
저 가을의 감처럼
홍시가 되어 땅으로 떨어져 터질 텐데

나는 그 봄부터 가을까지
겨울이 되기도 전에 없어질 그를
못 참아서 못 참아서
미워서 죽겠다고
내 원수는 바로 너라고 악담을 한다.

가만두면 가을쯤엔
감처럼 바람이 들어 부은 것처럼
빛이 들어가 핏줄을 터친 것처럼
시름시름 열병을 앓는 얼굴로
무거워서 땅을 바라보다 그 가을 끝쯤엔
나도 모르게 떨어져 있을 것을

52. 내 길을 만든다고

목숨 다해 좋은 길
붉은 카펫 깔린 길
황금의 나라로 가는 길 내놓았더니

무슨 심보로
나도 내 길이 있어야 된다고
그 길 만든다 온 땅을 파고 다니나.

좋은 길
이 세상에는 그만한 길 없는 길
하늘에서 사다리로 내려
십자가로 동서남북 길을 냈더니

무슨 심보로 동서남북 사방에서 다
나도 내 길이 있어야지, 무슨 소리냐.
나도 내 길을 가야지
왜 내가 남이 내놓은 길을 갈 것이냐고

그 잘난 길 낸다고 땀만 내다가
진액이 다 빠져서 파던 길에서 흙이 되고
영원히 살 소망 하나도 없는 내가 된다.

53. 몇 분을 못 버텨서

칠팔십 년을 숨 쉬다가
단 몇 분을 숨 못 쉬다가
그 몇 분을 못 참고서
죽었다고 울고 있는 것이
인간인 것을

왜 그리 숨 하나 가지고 있다고
그 날들을 사납게 살기만 하다가
몇 분을 어떻게 못 하여서
그 사나움으로도 몇 분을 못 버텨서
죽었다고 우는 것인가.

칠팔십 년을 내 힘으로 사는데
누가 내게 뭐라 하냐.
너는 너대로 나는 나대로 살면 된다더니
그게 다 거짓말이었네.
내 힘으로 살았으면 단 몇 분을
못 참고 버티다 말고 죽었을까.

54. 이러나저러나 결국은

사람이 너무 배가 부르면
미련해져 누워서 죽고

너무 배가 고프면
어리석어져서 아무거나
주워 먹다가 죽는다.

배가 불러 누워 있다가 죽으나
배고파서 주워 먹을 것 찾아다니다
아무거나 걸리는 대로
허겁지겁 서서 먹다가 죽으나

사람은 중립을 지킬 수 없으니
누구든지 한쪽으로 치우치다가
중심을 잃고서 자기 길에서 죽는다.
내가 중심이 되어 사는 삶은
어느 쪽으로 가든 결국은 같은 곳에서 만난다.

55. 그 땅에서 뽑히는 날

사람은 갔다.
그녀가 심은 단감나무는
뒤안 장독대 곁 울타리 안에 있다.
해마다 감꽃이 피고
감은 다른 사람이 따먹고

그녀는 갔다.
사람은 오래전에 없는데
그녀가 심어 놓은 대추나무는
봄에는 꽃을 내고
가을에는 붉은 대추가 앞마당 수돗가에 있어
늦가을 남이 와서 장대로 때린다.

사람은 자식을 낳고 키워서
다 네 갈 길로 가라, 하고
조금 혼자 있다가
가끔씩 찾아오는 자식들, 손주들 보다가
조금 혼자 있다가
나도 내 갈 길로 영원히 간다.

나무는 그 땅에
더는 갈 하루가 없다.

내 땅 내 집이라고 하던 곳에
너는 있어라, 하고 가는
나는 그 땅에서 뽑히는 날이 있다.

56. 공동묘지에서

공동묘지에 가면
나쁜 놈이라고 돌을 들었던 자도 죽었고
온갖 더러움 다 묻히고 다니던 그도 죽었고
나란히 있지.
그들이 그 속에 있을지 몰라.
아직도 그러고 있을지 몰라.

혹시나 형편이 뒤바뀌어서
그러고 있을지 몰라.
누가 이 세상 일이 아니 된
저세상의 일이 된 것을 알까.
그들이 서로 처지가 바뀌었을지 아는 자는
하나님과 저세상에 간 자들만 아는 것.

예수님 앞에서
간음한 여자가 돌에 맞아 죽임당하려다 살고
돌 들었던 무리들은 슬슬 다 도망갔던 것처럼
예수와 그 여자만 남은 것처럼
천국에는 그 여자만 간 것처럼

57. 죽음과 삶은 같다.

삶은 죽음과 같다.
삶이 만날 결국은 죽음이니
어떻게 다르다고 말할까.

죽음과 삶은 같다.
죽음이 만날 결국은 삶이니
어떻게 다르다고 증명해 낼까.

삶은 죽음을 만나서 사는 것.
죽음은 삶을 만나서 사는 것.
이 사실을 깨달으면
삶과 죽음은 순서가 어디에 놓이든
질서가 한 방향이라는 것을 안다.

삶은 결국 죽고
죽음은 다시 하나님 앞에 서서
영원히 죽지 않는 천국과
지옥의 삶으로 되어질 것이므로
어디에서 사느냐만 남는 것이다.

58. 존재의 영원성의 진실

한 번 존재한 자가
영원히 없어질 것이라고는
하나님은 말씀하지 않으셨고
사람들의 마음도 은근히 살짝 느끼고 있다.

분명한 것을 모를 뿐이지
영혼이 있다고 믿는 마음에 남아서
존재의 영원성을 바라보게 하고 있다.

한 번 존재한 자는
창조주 하나님 안에서
사라질 수 있는 능력은 없다.
그분 안에 갇힐 뿐이므로

천국과 지옥을 말씀하셨듯이
그 사실을 받아들이든지 아니든지 상관없이
한 존재는 나서 살다가
죽음을 통해 그 창조 질서 안에 갇히는 것이
일의 결국인 것을 어쩌랴.

59. 죽는 것은 돌아가는 것.

죽는 것은
완전한 신의 통치 아래로 들어가는 것.

죽는 것은 참하나님에게로
거짓 하나님에게로 가는 것.

전쟁 없이
우리가 죽을 수 있나.
이 두 신이 있는데
거짓과 진실이 자기 백성을 위해
해 아래서 날마다 전투 중인데,

우리는 삶이 곧 전쟁이라
날마다 들어오나 나가나
전쟁터로 끌려다니다 늙는 것이
병들고, 사고 나고, 전쟁 통에 죽는 것이다.

죽는 것은
참하나님에게로 되돌아가는
천국의 문으로 들어가는 관문이다.

60. 나는 네가 그러는 게 싫다.

나는 네가 살다가
어두운 무덤에 갇히는 게 싫다.
죽음으로 끝난 인생이 되는 게

나는 네가 삶이란
이러고 살다가 죽으면
다 끝나는 것이지, 다른 것은 없다고
알 수 없는 그런 말을 하는 게 슬프다.
죽음만을 향해 달려가는 네 인생이

나는 네가 나와 같이
천국에 갈 수 있는 일이란 고작
예수를 믿으라고 몇 번 말해 주고
인생이 끝나는 것이 아픔이 되고

너도 모르게 나 혼자서
예수의 이름으로 하나님께
기도하는 일만 하다가 내가 죽어
하나님 앞에 가는 그것이 두려움이다.
네가 나와 함께 거기에 없을까 봐서.

61. 근심의 무게를 지고서

근심의 무게를 지고
그 어깨가 처진 사람의 세상
슬프다고만 말하기에는 부족하다.

근심의 속에 죽음이 있으니
그 어깨가 저러다가
사람의 세상에서 무너질 것이니

자기 노력으로 못 지고 가게 되는 날
그마저도 안 된다고 하는 날이
오고야 말 것이니, 슬프다고만 말하기에는
그 생명의 가치에 부합되지 않는다.

근심의 무게를 지고
생명이 그 어깨로 버티는 세상에서
사람의 이 모습이
슬프다고만 말하기에는 더 슬프다.

그마저 못 지고
너는 이제 오라고 부르는 그날
다 그날이 앞에 있기에

62. 지구는 커다란 함정

지구는 함정이다.
여기 사는 그 무엇이
죽음의 함정에 걸리지 않은 자 있나.
다 아담의 죄로 걸려
발이 그 죄의 덫에 묶였다.

지구를 떠나서도 못 살고
어디로 갈 수도 없는 이 커다란 함정에서
또다시 사람들의 올무에 걸리고
얽혀서 찢어지고, 조여지고
나올 수도, 나갈 수도 없는
죽음이 찾아오기 전에는 못 빠져나간다.

세상은 깊고 넓고
그 끝을 모르는 구덩이로 파여진 함정이다.
여기 사는 지구 모든 것들은
다 그 죽음의 함정에 빠져서
땅속으로 점점 꺼져 가고 있다.

하나님은 거기서 십자가를 바라보라고
그 예수가 구원할 것이라고

너희는 다 내 말을 믿고 와서 보라고 하시는데
그 죽음의 구덩이에서도
하늘에 있는 하나님의 말을 무시하고 사는 일

우리는 여기서 잘 살겠다고
이렇게 재밌는 일이 많은데
먹을 것도 많고, 볼 것도 많고, 돈만 있으면
살기 좋은데, 무슨 헛소리를 하느냐고,
사람은 살다가 늙으면 죽는 것은 당연하지
한생전 살지 못하는 것.
우리가 다 아는데 그러냐고.

그런 죽음의 함정에 빠져서도
그것도 모르고 좋다고, 열심히 산다고
그러면 된다고 하고 있으니, 사람이 더 이상
어떻게 더 함정에 빠질 수 있을까.

63. 나의 참모습

내 참모습은 불안인데
그 모습을 안 보이려
큰소리를 치고 당당한 척

내 정체성은 불안인데
그 정체를 드러내지 않으려
돈으로, 권력으로, 인기로 위장을 하고
속으로 불안이 두려움의 산을 만든다.

내 모습은 드러나는 내가 아니다.
사실은 불안한 나
무엇인지 알 수 없는 두려움에
어두운 그림자로 떨고 있는 나.

내 참모습은
내 속에 있는 나
하나님 앞에서 영원한 죽음을 해결 못 한
거기로부터 엄습해 오는 은밀한 불안
그리고 점점 커지는 두려움과 공포
내 영혼이 겪어 내고 있는 전쟁이다.

64. 죽음이 있어 삶이라네.

삶이란 죽음만 없으면 얼마나 좋아
그러나 죽음이 있어서 삶이라네.
죽음이 없으면 삶이 삶이 되지 않지.
죽음도 삶이 있어 죽음이 되지.

삶과 죽음은 어느 한쪽이 없으면
성립되지 않는 말이라네.
죽음이 없으면 삶이란 말도 없겠고
삶이 없으면 죽음이란 말도 없겠고
그냥 존재하는 것이겠지.
그게 무슨 말이지, 외계의 언어이겠지.

삶이란 죽음만 없으면 하지만
죽음은 삶만 없으면 이라고 아니 그러겠는가.
서로가 원수이나 서로가 있어야
그 가치와 의미가 있는 것이지.

하나님은 삶과 죽음
그 둘에게서 떠나 존재하라고
그냥 존재 자체가 되라
하나님께 와서 그러라 하신다.

65. 아무리 멀리 간들 지구를 벗어날까.

사람이 간들
아무리 멀리 간들
지구 밖으로야 가겠는가.

그 안에서 여기로 저기로
다람쥐처럼 돌고 돌고
그러다 어느 한 곳에서 좀 쉬고
그러는 것밖에 아닌 것이지.

사람이 지구의 굴레에서
못 벗어나고 죽는 것처럼
삶의 굴레도 못 벗고
벗으려고 벗으려고만 애타다가 가는 것이지.

사람이 간들
사람이 산들
한 번 씌워진 굴레가 벗겨질까.
하나님의 창조 세계와 질서 안에서
나의 세계와 나의 질서를 세워 보려다
실패하고 차례로 자기 때에
하나님의 질서대로 순서에 따라 가는 것이지.

66. 자유한 구속을 위해서

죽는 것은 누구에게는 자유요,
누구에게는 철저한 구속이다.

죽음은 내 악한 마음으로부터
영원히 풀려날 수 있는 길이요,
누구에게는 더 악한 마음으로
영원히 묶이는 길이 된다는 것에 대한 앎

죽음이 하나님을 바라보는 자는
천국의 자유한 구속으로
죽음이 죽음만 바라보는 자는
지옥의 철저한 구속으로 이어진다는 영원

죽는 것은 자는 것이라고
예수 그리스도는 그렇게 알게 하셨다.
자는 자는 다시 일어날 것인데
우리는 어느 땅에서 다시 눈 뜰 것인가.
지금의 나의 말과 행동이
그날에 나의 결과가 된다, 하지.

67. 유리창에 부딪힌 새

유리에 부딪힌 새가 죽었다.
힘차게 날아가던 중이었겠지.
가만히 걸어서 갔다면 왜 그런 일이 생겼겠어.

늙은 새는 아닌 듯했다.
새는 걸어서 다니는 짐승이 아니라
높이 날아다니는 게 맞지.
매일 하던 일을 하다가 저렇게
혼자 머리가 깨져 죽을지를 알았을까.

아무도 그 시체를 거두지 않았다.
나도 보고만 혀를 차며 그냥 갔지.
기분 나쁜 죽음이라는 점만 안고서

오늘 우리가 저 새일 수도 있다.
내가 그 새일 수도 있고
보이지 않는 그물망에 걸려서
힘차게 달려갔다가 그 새처럼 죽는

아무도 없는 길바닥에
흙 한 덩이 없는 붉은 보도블록 위에

피 한 방울도 안 흘린 채로 나뒹굴어진
푸석한 털들이 겨울바람에 흔들리고 있었다.

죽었다.
아마도 며칠이 지난 듯한 모습이었지.
그러나 어느 날 없어졌다.
다시 그 길에 생각 없이 갔을 때 그 새는

그리고는 생각에서 지워졌다.
아무렇지도 않았지.
나는 그 새가 아니고, 살아 있으니 말이다.
이렇게 굳어진 추악한 감정으로 살아 있다니
목숨 앞에 부끄럽지 않은가.
사람이 이만큼 세월 속에 무서워져 오고 있었다.

68. 화려함 속에 짙은 그늘

사람들이 죽음과
그로 인한 근심 위에
좋은 옷을 입고 맛있는 것을
먹으러 다니고

보석을 주렁주렁 달고
죽음의 몸에 번쩍번쩍
나의 화려함을 말하고 있다.

그 화려한 옷과 보석들
그 안에서 죽음의 근심이
없는 듯이 말하며 웃지만
그 그림자는 짙어만 가고
그럴수록 옷은 화려해지고 보석은 번쩍인다.

화려한 색상으로
죽음의 그늘을 가리고
마지막까지 보석을 쥐고
어두운 그림자를 조금이라도 안 보이고 싶다.

69. 피는 죽음의 두려움

피는 생명
그래서 피를 보면 두렵다.
죽음이 핏속에서
너는 죽을 것이야라고

가장 무서워하는 것이 무엇인지
나에게 알게 하여서 그런다.
죽음을 생각나게 해서 그런다.

피는 곧 생명이라
하나님은 말씀하셨다.
생명은 피에 있다 하셨으니
세상에 피가 흐르는 것을 보면
두려움이 오지 않는 사람은 없다.

피가 흐르며 죽음을 강하게 말하면서
네가 이렇게 죽을 것이야라고
나의 죽음을 보게 하기 때문이다.

피는 생명이다.
그래서 피를 보면 사람이

죽음이 생각나서 두려움에 쫓겨
나도 모르게 도망치게 되는 일
죽음이 나를 쫓아오기 때문이지.

70. 늙음은 안 보여져 가고 있는 중

늙고
늙고
늙고
사람이 완전히 없어질
이제는 보여지지 않으리라.

하나님이 안 보인다, 없다고 한 것처럼
마귀는 안 보이나 있다, 한 것같이
사람인 내가 그렇게 될 것이다.

오늘 내가 안 보이는
세상으로 가고 있는 것이다.

그러나 분명 존재하는 세상의
한 백성으로 편입되기 위해서
그 마차에 편승하고 편승하며
자꾸 시간을 갈아타고 있는 중

살아 있는 자는
내가 영혼으로 살아 있다는 것을
내가 하나님을 안 보인다, 부정한 것같이

나를 그렇게 취급할 것이나

아는 나는 얼마나 어리석다, 생각할까.
그러나 땅에 살아 있는 자는
우리가 지혜 있다, 나를 무시하리라.

71. 하늘로 가고 싶지.

내 영혼은
죽어서 하나님이 있는
저기 하늘로 가고 싶지.

내가 하나님이 없다고
말하면서 욕했을지라도
내 영혼은 거기가 집임을 알지.

나는 죽어서
저 땅 밑 지옥으로
가야겠다고 결심하는 것은 아니다.
내가 배신하며 하나님의 가슴에
칼을 꽂고도 모자라서 총을 쏘았을지라도,

내 영혼은
죽어서 하나님이 없는 지옥
마귀가 있는 곳으로는 안 가고 싶지.

내가 살아서는 비록 하나님이 없다
말하고 빈정거리며 비웃었을지라도
내 영혼은 하나님이 있는 곳에 가고 싶지.

막연히 좋은 곳으로 가겠지, 하며

72. 풀의 절규

풀을 자르니
풀 향이 확 나며
나 죽어, 나 죽어
나 피나, 나 피난다고
나한테 왜 그래, 왜 그러냐.
그 소리로 들려져 왔다.

땅에서
이 가뭄 중에 살아보렸더니
알지 못하는 재앙의 날을
내가 만났구나.
피를 흘리며 죽는 날이
오늘이었음을 몰랐구나, 하는 것 같았다.

풀이나 사람이나
자기 재앙의 날을 모르고 산다.
하나님은 물고기가 그물에 걸리고
새가 그 올무에 걸림 같이
인생도 홀연히 그런 날을 만난다, 하시지.

풀을 자르니

풀 향이 확 올라오며
코를 싱그러웁게 했는데
그것은 그 풀의 피 냄새였다네.
그 풀의 마지막 진한 죽음의 절규였다네.

73. 인생의 퇴임

정년 퇴임 후가
인생은 새로운 전환점을 찍고
다시 문제 앞에 세워지게 된다, 하여
그 걱정을 미리 준비하라지.

인생의 문제는 퇴임 후에
본격적으로 온다는 것을 안다.
무엇으로 수입이 되게 할까.
지금까지의 경험을 통해서 해결책을 구하는 것이다.

정년 퇴임과 인생의 퇴임
그것은 다르다.
정년 퇴임이 곧 인생의 퇴임은 아니라는 것.

우리는 인생의 퇴임을
태어나면서부터 준비하며 살아야 한다.
내 앞에 문제들은 아무리 커도
진실이 아니기 때문에
인생의 퇴임인 죽음을 찍고
반환점을 돌아서 펼쳐질 미래를 생각해야 한다.

우리의 퇴임은 죽음
그 퇴임 후에 있을 남은
영원한 삶을 위해 준비하는 지혜가 있어야 한다.

74. 버티며 살아서 가야 하는 길

가뭄의 산을 넘으면
장마의 산을 만나고
태풍의 산을 넘으면
8월의 더위를 만나서 그러고 그러는
다 산 목숨이 넘어야 되는 산들

죽지 않고 살아서
몇 번을 넘어서 가야 하는 길
그것은 죽음에게 가는 길이다.

죽지 않고 살아서 가야 하는 죽음의 길
죽음의 집으로 가는 길을
살아서 그 고비들을 넘어서
안 죽고 살아서 가야 한다.

어차피 죽을 것인데, 살아서 끝까지 버티며
그 어둠의 집으로 왜 가야 하기에
우리는 목숨 지키려다가 고난과 고통과
모든 수고와 수치를 당하나 참으며
앞에 놓여진 산들을 눈물로 넘으며
두려움에 쫓기며 가야만 하는가.

봄에 돋아난 풀들이
바람과 비와 햇빛을 지나서
여름과 가을을 지나
겨울의 추위와 눈을 만나기 위해

봄부터 억척스럽게 살아서 가야만 하듯
겨울의 눈과 추위 속에서 죽기 위해
지금은 때가 아니라서 참고 가야 하듯
사람도 그래야 한다.

결국 죽음인데 왜 그 길을
살아서 더 오래 살아서 도착하려고
사람이나 풀이나 몸부림을 치며
안 죽어서 가서는 죽는가.

사람은 안 죽는 죽음
그 영혼이 안 죽는 죽음
그 죽음으로 가려는 것이겠지.

몸은 죽어도 내 영혼은 사는 죽음을
사람의 영혼이 바라보고 있기에
그러는 것이 아니겠는가.
영혼은 생명으로 쭉 이어져 있는
죽음을 죽기 위해 살아서 죽음의 집에
도착하고 싶은 열정이 사람에게 있는 것이겠지.

75. 우리의 괴로운 것.

내가 아무리 해도
인간은 내가 나를 못 벗어난다는 것.
그것 때문에 우리는 괴로운 것.

내가 나를 벗어나야는데
그래야 내가 자유로워지며
날아갈 수 있을 것 같은데
늘 인간은 내가 나의 사슬에 묶여서
다시 나에게로 돌아오게 되는
그 원점에서만 맴돌다가 죽는 것이 괴로움

내가 아무리 해도
못 벗어나는 생명과 연결된 죽음
사람이 진정으로 나로부터 벗어나고 싶은 것은
나로부터 훨훨 날아서
저 멀리로 날아서 자유로워지고 싶은 것은
영원한 죽음으로부터 내 영혼이
영원한 자유의 생명으로 가고 싶은 것.

내가 여기서 아무리 해도
내 실력으로는 못 벗어나는 것 때문에

생명과 죽음에 관한 것 때문에
사실 우리가 세상에서 괴로운 것이네.

내 영혼이 영원한 생명인
하나님께 날아가고 싶은 괴로움이
내가 나로부터 벗어나서 저 어디론가로
저 멀리 가고 싶은 그 마음으로 드러내는 것이다.

인간은 내가 아무리 해도
내가 나를 못 벗어남에 절망한다.
사실은 내 안의 내 영혼이
나를 향해 절망하며 절규하는

그래서 사람은 가만히 있어도
스스로 내가 괴로움의 생각에 잡히고
낙심한 마음으로 괴롭지 않은 사람의
그 깊은 속은 없는 것이다.

내가 아무리 해도 못 벗어나는
생명과 죽음에 관한 일 때문에
내 영혼이 괴롭고 고민하는 것이
내 삶의 전반적인 흐름임을 알아야 한다.
이 땅의 사람의 삶의
모두에게 적용되어지는 패턴임을

76. 사람이 진짜 생명을 알면

내가 진짜 생명을 알면
어떤 위협도 조금만 두렵게 되다가
금방 꺼지는 불씨가 되고
그것이 온몸을 태우지 못하게 한다.

내가 사는데
가장 필요한 것이 영원한
하나님의 생명임을 알면
내 생명이 진짜가 아님이 드러나며
그 생명 되신 하나님을 두려워하게 된다.

하나님의 눈치를 보며
그를 두려워하는 삶은
어떤 위급함에도 조금만 두렵다가
곧 평안함을 회복할 수 있는
죽지 않는다는 것에서부터 오는 능력이 있다.

사람이 진짜 생명을 알면
내 생명을 붙들고 요동치는 세상에서
흔들거리다가 죽을까 염려하여
사람을 두려워하여 눈치를 보는 일은 없다.

77. 내 영혼이 못 잊을 죽음

우리가 삶을 잊을 수 없듯이
죽음도 내 영혼은 못 잊는다.

나는 나만 생각하지만
내 영혼도 저만 생각하기에
우리가 사는 것에도 힘이 든다고
어떻게 하면 평안히 살까 한다 .

우리가 삶을 잊을 수 없는 것은
생명이 삶 안에 있다고 생각하기에
매달리려고 하는 것이지.

내 영혼이 죽음을 못 잊는 것은
생명이 이 문제를 해결해야만
내가 꿈꾸는 삶이 될 수 있다고
나보다 더 깊이 알고 있기 때문이지.

우리가 삶을 잊을 수 없듯이
내 영혼이 죽음을 못 잊는 것은
영원한 생명을 아직 못 가졌기에
두려워지고 있는 공포 때문이지.

78. 우아하게 죽자.

멋있게 죽어야 한다.
가을 단풍처럼 우아하게
기쁨과 아쉬움을 남기며 떨어져야 한다.

멋지게 죽어야 한다.
가을에만 만날 수 있는
그때의 별에 타며 조용하게
서서히 물드는 단풍같이 침묵으로
사람의 가슴에 묵직한 돌을 던지며 가야 한다.

죽는 때가 가장 멋있기 위해
가을 단풍처럼 최고의 날을 위해
오늘 내가 수고로운 삶이 되어야 한다.

푸른 잎일 때보다 단풍 들 때가
단풍 들 때보다 그 떨어질 때가
더 큰 여운으로 남겨지는 삶을 위해
살았을 때보다 죽었을 때가 더 아름다운
그런 멋진 죽음을 죽어야 한다.

79. 죽음이 없는 잠을 위해

죽음을 다시 일어날 수 있는
잠으로 바꾸기 위해서
우리의 삶이 소모되어져야

다음날 일어날 것을 의심치 않고
평안히 누워서 자는 잠처럼
죽음이 최고의 쉼이 되어야

넋을 놓고 자는 사람이 부러운 것이
내 죽음이 되기 위해서
죽음이 잠이 되기 위해서
내 시간이 소멸되어져야

영원한 죽음을 영원한 잠으로
그 현실을 완전하게 뒤집기 위해서
내 삶이 날마다 없어져 가야

삶이란 내 영원한 죽음을
하나님의 영원한 잠으로 바꾸는 일이다.
죽음이 없는 잠으로

80. 밤에서 일으켜진 삶

한 밤이 가고
한 날이 왔다.

어제 죽을 것을 생각지 않고
무심코 밤이라고 당연히 누운 것을
하나님은 삶으로 일으키셨다.

한 밤이 가고
그 죽음이 자면서 나도 모르게 가고
새날이 왔다.

어제 죽을 것은 꿈에도 생각지 않고
하루가 피곤하여서 누웠는데
그것이 세상 모르는 죽음이었는데
하나님은 그 호흡 지키시었다가 일으키셨다.

한 밤이 죽고
한 날이 살아서
날마다 그렇게 내게로 오며
나는 한 날을 맞는다.

81. 정해진 길의 끝

죽음은 정해졌다.
각자에게 그 날과 때는
정해져서 태에서 나온 그날과 같이

우리는 한 사람 한 사람마다
자기의 생일을 기억하듯
그날도 기억하며 준비해야 한다.

자궁 속에서 세상 밖으로 나올 것을
언제인지 모르고 캄캄한 곳에 있었듯이
열려질 문 앞에서 그렇게 먹고 놀고 있었듯이
어느 날 갑자기 압력이 가해지며 죽을 만큼의
고통 속으로 밀어내는 그 일을 당하여 빛으로 나오듯

우리는 마지막 날도 그와 같을 것이다.
캄캄한 세상의 자궁 속에서
죽음의 문 앞에서 먹고 마시며 즐거워하다가
갑자기 죽음의 고통 속으로 내몰리게 될 것이다.
그 일로 인하여 누구는 영원한 빛으로 나오고
누구는 다시 영원한 흑암으로 나갈 것이고

죽음은 잉태된 아이와 같이
반드시 그 뱃속에서 나와야 하듯
때가 되면 나와야 그 생명이 유지되는
또 다른 영원한 사람으로의 문이 열려짐이다.

세상에 잉태된 사람들은
이제 땅에서 떨어져 나갈 일이 생긴다.
아이가 자궁 속의 탯줄에서 일방적으로
압력에 밀려 나오듯이 우리는 다 이 세상에서
죽음으로 다른 세상으로 나가야만 한다.

잉태됨과 죽음은 피할 수 있는 것이 아니라
아이와 부모가 함께 대비하듯 죽음도
나와 하나님이 함께 예비해야 하는 일.
태어난 후에 있을 일을 그랬듯이
죽음 후에 있을 일을 그렇게
사는 날에 최선을 다하여 바른 방향에서

82. 꿈의 열매는 죽음

꿈이 깨지면 곧 죽음이다.
진짜 꿈은 죽음 다음에 있었다고
그 꿈이 나에게로 나오는 때

내 꿈이 여기서 깨지면
죽음이 나에게로 와서 가자고 한다.
이제 진짜 꿈에게로 가자고
내가 너를 데리러 왔다고 말한다.

내 꿈은 사는 것인데
꿈이 깨지면 그 생명 뒤에 숨었던
죽음이 뛰쳐나오며 말한다.
진짜 삶인 꿈으로 가자고

꿈이 깨지면 생명이 죽음을 낳는다.
진짜 꿈은 생명의 열매인 죽음
그 비밀의 열매 속에 들어 있는 씨
거기에 하나님이 넣어 둔 그의 꿈이 있다.
우리는 그 꿈속으로 가서 다시 살게 되어진다.

83. 꽃잎처럼 한 장씩 떨어지고 있는 나

꽃잎처럼 낱장으로
하루에 하나씩 내가
땅으로 떨어지며 죽습니다.

하루에 한 장씩 내가
하나님이 허락하신 그날까지
꼭 그만큼씩만 흩날리며 삽니다.

바보처럼 그 떨어지는
생명의 잎을 잡을 수 없는 자는
세월을 낭비하고 있는 자라 책망하시는데
정신 못 차리고 살기에만 바쁘다니

저 아름다운 싱싱한 꽃잎처럼
내가 한 장씩 낱장으로
땅으로 떨어져 죽고 있는데
나는 살기에만 정신이 없다 없다만 하네.

이렇게 정신없이 가다가는
꽃잎 한 장도 안 남은
저 민들레 꽃대같이 하얗게 죽겠습니다.

84. 살려다가

이러나저러나 사람이 죽는데
살면 얼마나 더 살겠다고
내가 살아야 된다, 일만 하는가.

그러나저러나 사람이 다 죽는데
가진 자는 가진 게 있어서
가진 게 없는 자는 없어서
그것 때문에 일만 하는가.

그런다고 그것 다 가지고
이런다고 그것 다 모아서
사람이 그렇게 부요해져서 죽는 것도 아닌데
다 지고 가는 죽음의 길도 아닌데

사람이 그것 때문에 십자가로 가는
그 길이 막혀서 예수를 못 만나고
그 영혼의 안전이 보장되지 않는 자가 된다.

이러나저러나 사람이 다 놓고
가난해진 생명으로 죽는데
죽기 전에 살아서 하나님 한 번 못 믿어 보고

예수 이름 한 번 못 불러 보다
알 수 없는 죽음의 두려움에 사로잡혀 간다.

85. 내 생명 속에 섞인 어둠

내 생명 속에는 죽음
그 어두운 그늘이 있어서
그 따라다니는 그림자 때문에
평안이 이 땅에서 온전히 없지만

하나님의 생명 속에는
나의 죽음 같은 그런 어두움이 없어서
빛뿐이라고 하니
그림자가 있을 수 없다네.

내 생명 속에는 죽음이 섞여
그래서 인생이 괴롭지.
어떻게 그 죽음을 떼어내고
나만 홀로 고고하게 갈까, 하여
눈물이 인생이 되어
어둠의 그늘에서 병이 든다.

내 생명은 완전히 죽음이 안 섞인
그런 목숨이 아니라서
내 영혼은 죽음 없는 하나님의 생명을
내가 어떻게 얻을까, 한다.

어두운 그림자 없는 빛만 있는
눈물 없는 인생이 되고 싶어라 한다.

86. 남을 섬기다 죽는 게 인생

누가 남 섬기려고 공부할까.
다 내가 섬김받으려고 그러는 것이지.

그런데 말이야
인생이라는 것이 참 우습게도
평생 남을 섬기다가 죽는 것이라니

다른 사람의 일을 섬기려고 다니다가
자기 신발이 닳고, 자기 육체도 늙고
둘 다 떨어지고, 찢어지고 그래서 버려진다.

어차피 사는 일이라는 것이
남의 일을 섬기는 일이라면
평생이 죽음으로 마감되지 않는
그 죽음 뒤에 있다는 찬란한 빛의 나라
그 나라의 주인을 섬겨야 되지 않을까.

그 하나님을 섬기려고
나의 모든 수고가 있게 된다면
한번은 누구나 죽는 죽음 너머에서는
영원히 사는 천국의 부활의 쉼을 얻지 않을까.

87. 인증샷 받는 삶

의미 있게 살아야 된다.
의미 없는 죽음이 되어서는 안 된다.

이것을 알고
내 가치가 어디로부터 와서
내게 의미가 있다고 말하는
그런 사람이 되어야 한다.

우리는 인증샷 받고 싶다.
삶의 끝에도 인증샷이 있고
이 마크를 받지 못하면
무의미한 삶이었다고 나를 버리는
그 심판자를 만난 마지막이 된 나,

너는 의미 있게
가치로부터 버려지지 않는
생명의 허무가 아닌 여기로 들어오라는
그 인증샷을 받지 못하면
지금까지 산 것이 내게 독이 되어
그날에 하나님 앞에서 내가 도로
그 잔을 마셔야만 하는 것이 삶의 끝이다.

글을 마치면서

이 글을 읽으시면서 새로운 인생의 비전을 보게 되셨기를 바랍니다. 그리고 앞으로 나는 어떻게 마지막을 향해서 준비하며 가야 할 것인가, 하는 것에 대한 확실한 소망을 십자가에서 찾으셨기를 바랍니다.

저자 문영순